めざせ！やさい名人

監修：河村 亮（三和農園）　指導：加藤真奈美（学習院初等科教諭）・長代 大（学習院初等科教諭）

③ エダマメ・ナス

小峰書店

この本を読む みなさんへ

　みなさんは、やさいを そだてたことが ありますか？ 小さなたねや なえから、だんだんと大きくなっていく やさいを見るのは、とても楽しいものです。そして、自分でそだてた やさいを食べると、いつもより もっとおいしく かんじられます。どうしてだと思いますか？ それは、みなさんが そだてるために がんばった時間や きもちが、やさいのあじに くわわるからなんです。

　この本では、やさいを そだてるときのコツやポイント、かんさつや、かんさつしたことを まとめるほうほうを しゃしんと絵をつかって わかりやすく しょうかいしています。やさいは、しゅるいによって ちがう形を していたり、はっぱや花のようすが ちがったりします。よくかんさつすると、「こんなふうになっているんだ！」という 新しいはっけんが たくさんありますよ。
　ぜひ、この本を さんこうにして、いろいろなやさいを そだててみてください。自分でそだてたやさいは、とくべつです。楽しくそだてて、食べて、やさいのことをもっと すきになってくださいね！

河村 亮（三和農園）

この本に出てくるのは…

カワムラさん
やさいづくりのプロ。エダマメやナスのほか、いろいろなやさいを つくっている。

シオリさん
生きものを そだてたり、かんさつしたりするのが 大すきな小学2年生。

リンさん
おいしいものが 大すきな小学2年生。もちろん やさいも大すき！

もくじ

- **さいばいとかんさつの じゅんびを しよう** …… 4
  - さいばいに つかうもの …… 4
  - かんさつに つかうもの …… 5
- **エダマメを そだてよう!** …… 6
  - エダマメは どんな やさい? …… 6
  - エダマメは どうそだつの? …… 7
  - なえを うえよう! …… 8
  - かんさつ名人になろう! かんさつしたことを かこう! …… 10
  - やさいのプロに 聞いてみよう! …… 11
  - 花が さいたよ! …… 12
  - さやが ふくらんだよ! …… 14
  - かんさつ名人になろう! エダマメからダイズへ! …… 16
- **ナスを そだてよう!** …… 18
  - ナスは どんな やさい? …… 18
  - ナスは どうそだつの? …… 19
  - なえを うえよう! …… 20
  - 花が さいたよ! …… 22
  - みが できたよ! …… 24
  - かんさつ名人になろう! ぎもんを かいけつしよう! …… 26
  - やさいのプロに 聞いてみよう! …… 27
- **エダマメとナスのことを まとめよう** …… 28
  - すごろくを つくろう …… 28
  - クイズを つくろう …… 29
  - エダマメのミニちしき・ナスのミニちしき …… 30
- さくいん …… 31

どうがの 見かた

この本のQRコードを タブレットやスマートフォンのカメラで読みこむと、インターネットで どうがを見ることが できます。

なえのうえかたを どうがで見てみよう!

QRコード

がめんに QRコードが うつるようにします。

QRコードは、デンソーウェーブの登録商標です。

さいばいとかんさつ

さいばい に つかうもの

エダマメやナスを そだてるとき、どんな ものが ひつようかな？

エダマメの なえ

ナスの なえ

なえは、たねから めが 出たあと、少し そだてたもの。

ジョウロ
やさいに 水をやる どうぐ。

シャベル（スコップ）
土をほる どうぐ。

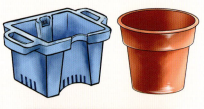

プランターや うえきばち
やさいを そだてるときに つかう 入れもの。

ひも
やさいと しちゅうを むすぶ ときに つかう。テープを つかっても よい。

土（ばいよう土）
ひりょうを まぜた土を ばいよう土という。

ひりょう
やさいのえいように なる。

しちゅう
やさいが たおれないように ささえる ぼう。
ナスを そだてるときは、1m くらいのものを 3本 よういすると よい。

の じゅんびを しよう

🔍 かんさつに つかうもの

エダマメやナスを かんさつするとき、どんな ものが ひつようかな？

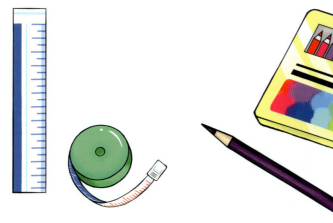

ものさし、メジャー

くきの高さや はっぱの大きさを はかるときに つかう。

ひっきようぐ

文や絵で かんさつしたことを きろくするときに つかう。絵は、色えんぴつや クレヨンを つかって はっぱや花の色が わかるようにする。

虫めがね

はっぱや花のようすを 大きくして 見ることが できる。

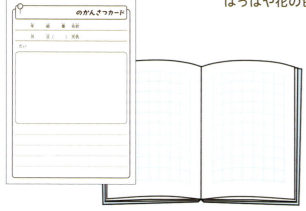

かんさつカード、ノート

かんさつして わかったことを かいておく。かんさつカードは、この本のさいごの ページを コピーして つかおう。

タブレットたんまつ

やさいの しゃしんを とったり、気づいたことを ろくおんしたり して、きろくする。

5

エダマメを そだてよう!

はじめに、エダマメのことを しらべてみましょう。

エダマメは どんな やさい?

みそや しょうゆの ざいりょうになる まめを ダイズといいます。
ダイズを じゅくす前の みどり色のうちに とったものが、エダマメです。
エダマメの 外がわの かわは、「さや」とよばれます。
さやの中には、まめが 2つか3つ入っていて、それを さやごと ゆでてから食べます。

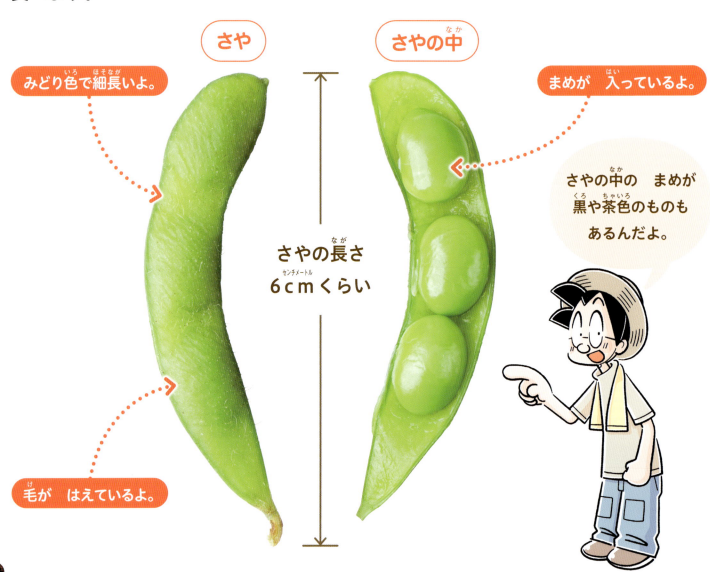

さや — みどり色で細長いよ。 毛が はえているよ。
さやの中 — まめが 入っているよ。
さやの長さ 6cmくらい
さやの中の まめが 黒や茶色のものも あるんだよ。

エダマメは どうそだつの?

　エダマメのたねは、ダイズです。春に ダイズを まくと、めが 出てきます。
　しばらくすると せが のびて、はっぱも ふえます。そして 花が さいて、さやが できます。
　さやの中には、まめが 入っています。まめは、じゅくすと 茶色になります。それが、ダイズです。春にダイズをまくと、また めが 出てきます。

エダマメが じゅくしたところ

エダマメの せいちょう

エダマメの花

花びらは 5まいで、おしべと めしべは、下のほうにある 小さい花びらに つつまれています。おしべの花ふんが めしべにつくと、さや(み)が できます。

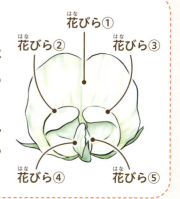

これが なえだよ。

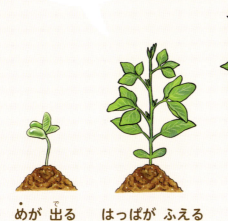

たね	めが 出る	はっぱが ふえる	花が さく	さや(み)が できる
4月ごろ	5月ごろ		6月ごろ	7月ごろ

エダマメを そだてよう!

さいばいスタート なえを うえよう!

エダマメのなえを はたけやプランターに うえましょう。
ねっこが よくのびて、元気(げんき)にそだちます。

なえのうえかた

① はじめに、ポットに入(はい)った なえに 水(みず)を たっぷり やる。

② なえが 入(はい)る大(おお)きさの あなを ほって、そのあなに 水(みず)を たっぷり やる。

③ なえを ポットから そっと 出(だ)す。

④ なえを うえたら、ねもとに 土(つち)を よせる。

⑤ 水(みず)を ねもとにかけるように たっぷり やる。

くきを ゆびで はさむ。

なえのうえかたを どうがで見(み)てみよう!

エダマメは、くきが 太(ふと)くて たおれにくいから、しちゅうを 立(た)てなくても だいじょうぶだよ。

なえの うえつけが できたよ！

かんさつ名人になろう！

👀 見る
はっぱは、どんな 色や形を しているかな？ はっぱは、なんまい あるかな？

✋ さわる
はっぱや くきを さわると、どんな かんじかな？

👃 かぐ
はっぱや くきは、どんな においが するかな？

📏 はかる
なえのせは、どのくらいの 高さかな？ はっぱの大きさは、どのくらいかな？

かんさつ名人になろう！
かんさつしたことを かこう！

1 気づいたことを ことばにしよう

はっぱや くきは、どんな 色や形を しているか、大きさや高さや数は、どれくらいかを かんさつして、くわしく かきましょう。

① 「ざらざら」「つるつる」のように、ようすを あらわすことばで ひょうげんしてみましょう。

② ほかのものとくらべて 色や高さを あらわしたり、にているものを さがして たとえを つかったりすると、つたわりやすくなります。

はっぱも くきも、みどり色を しているね。

くきをさわると、ざらざら しているよ。

2 絵を かこう

絵は、ぜんたいを かくほうほうと、ひとつのぶぶんを 大きく かくほうほうが あります。つたえたいことが よく わかるように、かいてみましょう。

なえの ぜんたいを かくと、どんな 形を しているかが わかる。

はっぱだけを 大きくかくと、はっぱのようすが くわしく わかる。

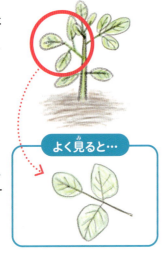

よく見ると…

3 かんさつカードを かこう

- やさいの名前
- 学年・組・番ごう・名前
- 日づけ・天気
- だいめい
  その日に したことや、はっけんしたことを かんたんに かこう。
- 絵
  やさいのようすを 絵に かこう。
- せつめい
  色や形、大きさ、ほかにも かんさつしてわかったことを かこう。

エダマメ　のかんさつカード
2年 1組 10番 名前 ○○○○○○
5月 12日（月）天気 はれ
だい なえをうえたよ

エダマメのなえをうえました。はっぱは、みどり色でした。3まいくっついているはっぱは、小さなてんぐのうちわのように 見えました。くきは、さわるとざらざらしていました。早くみがついてほしいです。

 かんさつカードは、この本のさいごのページを コピーして つかいましょう。

やさいのプロに 聞いてみよう！

エダマメを たねから そだてたい！
どうすれば いいの？

4月ごろ、エダマメのたね（ダイズ）を 2、3つぶ まきましょう。

ふかさ 2cm くらいの あな を ほって、たねを 2、3 つぶまく。

土を かぶせて、かるく お さえる。そのあとに、水を たっぷり やる。

めが 出て はっぱが ふえてきたら、元気がよいなえを 1本だけのこして、ほかは、引きぬく。

エダマメに 元気が ない！
どうすれば いいの？

エダマメは、日当たりが わるいところや 水が 足りない ときに、元気が なくなります。

プランターでそだてている ときは、日が よく 当たるとこ ろに うつして、水やりを わ すれないようにしましょう。

虫が ついていることも あ るので、気をつけましょう。

エダマメに つきやすい虫

アブラムシ

カメムシ

小さい虫を とるには、テープが べんりだよ。こういうふうに、テープの、のりが ついているほうを 外がわにして、ゆびに まきつけるんだ。

11

エダマメを そだてよう！

さいばい6週め〜

花が さいたよ！

エダマメの花が さきました。みが たくさん できるように、ひりょうを やりましょう。

エダマメの花は、5mmくらいの大きさだったよ。

ひりょうのやりかた

花が さきはじめたら、2週間に1回、ひりょうを やりましょう。エダマメのねもとから 少し はなれた ところに、ひりょうのつぶを まきます。

エダマメの花が さきはじめたら、水が 足りなくならないように わすれずに 水やりを しようね。

かんさつ名人になろう！

👀 **見る**
花は、何色で、どこに さいて いるかな？花の数や 花びらの数も 数えてみよう。

✋ **さわる**
花や くきを さわると、どんな かんじが するかな？

👃 **かぐ**
花に においは、あるかな？

📏 **はかる**
花の大きさは、どのくらいかな？

👀 **花は、何色かな？**

エダマメは、白のほかに ピンクや むらさき色の花が さくこともある。花には、大きさのちがう花びらが 5まいある。

エダマメを そだてよう！

さいばい 10週め〜

さやが ふくらんだよ！

エダマメの花が かれて、さやが できました。さやの長さが 6cm くらいになってふくらんだら、しゅうかくしましょう。

しゅうかくのしかた

かたほうの手で さやを ささえます。そして、はんたいの手で はさみを もって さやのねもとを 切りましょう。

中のまめの大きさが わかるくらいに さやが ふくらんだら、すぐに しゅうかく しよう。

しゅうかくのしかたを どうがで見てみよう！

さやは、どうかわる

花が かれる

↓

さやが 大きくなる

↓

さやが ふくらむ

さやの長さは、
6cmくらい
だったよ。

かんさつ名人になろう！

見る	さわる	かぐ	はかる
さやは、どんな 色や形を しているかな？ いくつあるかも 数えてみよう。	さやを さわると、どんな かんじが するかな？	さやは、どんな においが するかな？	さやの長さは、どのくらいかな？

かんさつ名人になろう！

エダマメからダイズへ！

すがたが かわっても おいしいエダマメ

エダマメは じゅくすと、ダイズと よばれるようになります。
そして ダイズ（たね）を そだてて めが 出たものは、モヤシとよばれます。
エダマメは、いろいろなものに すがたをかえて 食べられています。

エダマメ

じゅくす前の みどり色のうちに しゅうかくしたもの。

ダイズ

ぜんたいが かんぜんに かれて かんそうし、茶色になってから しゅうかくしたもの。さやをふって カラカラと 音がすれば、しゅうかくできる。

エダマメを つかった食べもの

ゆでたエダマメ　　ずんだもち

しょうゆ

なっとう

せつぶんのときに
まく まめも、
ダイズなんだって。

とうにゅうも
ダイズから できて
いるって 聞いたよ。

ダイズには、
えいようが いっぱい
入っているんだ。
みんなも ダイズを
食べようね。

モヤシ

ダイズを くらいところで 水だけで そだてたもの。

ダイズを つかった食べもの

みそ
とうふ
きなこ

モヤシ

ナスを そだてよう!

はじめに、ナスのことを しらべてみましょう。

ナスは どんな やさい?

ナスは、あたたかいところで生まれた やさいです。
だから、あたたかいきせつに よく そだちます。
わたしたちが 食べるのは、ナスの みです。
みを やいたり にたり、つけものに
したりして 食べます。

へたが ついているよ。

みを よこに切ったところ

細長いよ。

中は、うすい黄色だよ。

たねが 入っているよ。

みの長さ
12cm くらい

むらさき色で つやつやしているよ。

ナスは どうそだつの?

春に ナスのたねを まくと、めが 出てきます。
しばらくすると はっぱが ふえて、せが のびます。
そして 花が さいて、みが できます。
みの中には、たねが 入っていて、春にまくと、また めが 出てきます。

ナスのたね

ナスの せいちょう

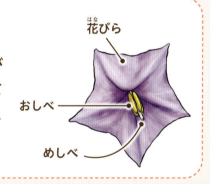

ナスの花
おしべの花ふんが めしべについて じゅふんすると、みが できます。

これが なえだよ。

たね
4月ごろ

めが 出る

はっぱが ふえる
5月ごろ

花が さく
6月ごろ

みが できる
7月ごろ

ナスを そだてよう！

さいばいスタート　なえを うえよう！

ナスのなえを はたけやプランターに うえましょう。
ねっこが よくのびて、元気に そだちます。

なえのうえかた

① はじめに、ポットに入った なえに 水を たっぷり やる。

② なえが 入る大きさの あなを ほって、そのあなに 水を たっぷり やる。

③ なえを ポットから そっと 出して、あなに うえる。

くきを ゆびで はさむ。

④ なえから 少しはなれたところに しちゅうを 立てる。

しちゅう

８cmくらいはなして 立てる。

⑤ しちゅうと なえを ひもで むすぶ。

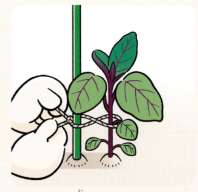

ひもが「8」の字になるように むすぶ。

なえのうえかたを どうがで 見てみよう！

なすは、水が すき！
土が かわいていたら、たっぷり 水を やろう。水やりは、午前中に するといいよ。

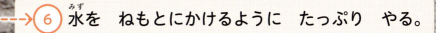

⑥ 水を ねもとにかけるように たっぷり やる。

あれ、はっぱの色が ちがうところが あるよ！

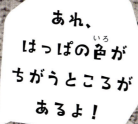

はっぱは、どんな色？

はっぱは、みどり色で、むらさき色の すじが ある。

かんさつ名人になろう！

見る	さわる	かぐ	はかる
はっぱは、どんな 形かな？ はっぱや くきの色も 見てみよう。	はっぱや くきを さわると、どんな かんじかな？	はっぱは、どんな においが するかな？	なえのせは、どのくらいの 高さかな？ はっぱの大きさも はかってみよう。

21

ナスを そだてよう！

さいばい 3週め〜

花が さいたよ！

ナスの花が さきました。わきめが 出て くるので とっておきましょう。くきが のびたら、しちゅうを ふやしましょう。

花は、どうかわるかな？

花が かれる

↓

小さな みが できる

わきめのとりかた

わきめは、くきと はっぱの間から出る 小さな めです。さいしょにさいた花より 下にある わきめを ふたつのこして、ほかのわきめを ゆびでつまんで ポキッと おりましょう。

ひとさしゆびと おやゆびで つまむ。

わきめ

しちゅうの立てかた

のこした ふたつの わきめが くきになって よこに のびたら、右の絵のように しちゅうを 3本にふやします。しちゅうと くきを ひもで しっかり むすびましょう。

しちゅうと くきを ひもで むすぶ。

しちゅうどうしを ひもで むすぶ。

ナスの花は、3cmくらいの大きさだったよ。

かんさつ名人になろう！

見る
花は、どんな 色や形を しているかな？ 花びらは、どうなっているかな？

さわる
花や くきを さわると、どんな かんじが するかな？

かぐ
花に においは、あるかな？

はかる
花の大きさは、どのくらいかな？

ナスを そだてよう！

さいばい 6週め〜

みが できたよ！

ナスの花が かれて、みが できました。
みの長さが 12cm くらいになったら、
しゅうかくしましょう。

しゅうかくのしかた

かたほうの手で みを ささえます。そして、はんたいの手で
はさみを もって みのつけねを 切りましょう。

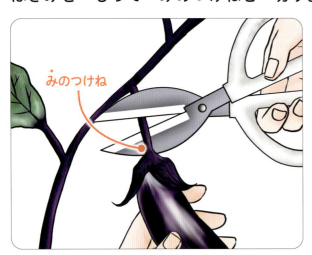

みのつけね

さいしょに できた
みを、小さいうちに
切っておくと、
そのあと 大きな みが
できやすいよ。

しゅうかくのしかたを どうがで見てみよう！

かんさつ名人になろう！

ぎもんを かいけつしよう！

1 本などでしらべる

としょかんで やさいのそだてかたの本を さがして、しらべてみましょう。

インターネットの けんさくで しらべることも できます。

インターネットは、おとなの人と いっしょに つかいましょう。

2 じょうほうを こうかんする

クラスやグループで話しあって、やさいのせわで こまっていることや わかったことを つたえあいましょう。

教室や ろうかに そうだんコーナーを つくって、知りたいことや、教えてあげたいことを つたえあう ほうほうも あります。

3 くわしい人に インタビューしよう！

のうかの人や やさいのことに くわしい人に 話を 聞いてみましょう。

❶ 行く前に、聞きたいことを かじょうがきで せいりして かいておく。
❷ あいてが いそがしくないかを たしかめる。
❸ さいしょに あいさつを して、自分の名前を 言う。
❹ あいてを 見て、はっきりした声で 聞く。聞いたことは、メモしておく。
❺ おわったら、おれいを 言う。

やさいのプロに 聞いてみよう！

ナスのみが たくさん できるようにするには、どうすれば いいの？

　みが できはじめたら、下のほうの はっぱを はさみで切りましょう。はっぱが多すぎると、えいようが はっぱに とられてしまって、みに とどきません。

　そして 2週間に1回、ひりょうを やりましょう。

はっぱの切りかたを どうがで見てみよう！

はっぱの 切りかた

下のほうの はっぱの くきに近いところを はさみで切る。

ひりょうの やりかた

ねもとから 少し はなれたところに ひりょうを まく。

ナスに 元気が ない！ どうすれば いいの？

　ナスに 元気が ないときは、びょうきかもしれません。はっぱに 白いもようが あったら、そのはっぱを とって すてましょう。

　もし はっぱや くきに 虫が いたら、テープや わりばしで とりましょう。

びょうきの はっぱ

うどんこびょう　はっぱに 白いこなのような もようが できる。

ナスに つきやすい虫

アブラムシ

ヨトウガの よう虫

27

エダマメと ナスの

エダマメや ナスを そだてて かんじたことや わかったことを
みんなに つたえましょう。

すごろくを つくろう

エダマメについて わかったことを すごろくにしてみましょう。

ことを まとめよう

✏ クイズを つくろう

ナスについて わかったことを クイズにしてみましょう。

なすなすクイズ１

つぎの２つのうち、ナスの花は、どちらでしょう？

なすなすクイズ２

つぎの２つのうち、ナスのはっぱは、どちらでしょう？

なすなすクイズ３

ナスの上にあるぶぶんは、なんというでしょう？

ここ→

① はた
② ふた
③ へた

ほかの巻(かん)にも いろいろな まとめかたが のっているよ。

見(み)てみてね！

クイズの答(こた)え：１ ② ２ ① ３ ③

エダマメとナスのことを まとめよう

エダマメのミニちしき

しんせんなエダマメの 見分けかた

しんせんなエダマメの さやは、明るい みどり色です。さわると ふっくらしていて、中のまめの形が わかります。そして、細かい毛が たくさん はえています。

細かい毛が はえた エダマメの さや。

エダマメの ゆでかた

❶さやを 水で あらったあと、ボウルに入れて しおを ふり、よくもむ。

❷なべで おゆを ふっとうさせる。さやを 入れて 4〜5分間 ゆでる。

❸さやをひとつとって、中のまめが 食べられる かたさだったら、ざるにあげて さます。

ナスのミニちしき

いろいろな ナス

ナスには、たくさんのしゅるいが あります。中には、白いものや 丸いものもあります。

白いナス　丸いナス　みどり色のナス　細長いナス

しんせんなナスの 見分けかた

しんせんなナスは、外がわの色がこくてツヤツヤしています。はんたいに 古くなったナスは、色がかわっていたり、しなびていたりします。ナスは、しんせんなうちに 食べましょう。

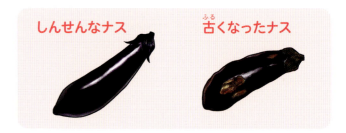

しんせんなナス　古くなったナス

さくいん

あ

アブラムシ	11、27
インターネット	26
インタビュー	26
うえきばち	4
うどんこびょう	27
おしべ	7、19

か

花ふん	7、19
カメムシ	11
かんさつカード	5、10
クイズ	29

さ

さや	6、7、14、15、16、30
しちゅう	4、8、20、22
しゃしん	5
シャベル（スコップ）	4
しゅうかく	14、16、24
じゅふん	19
ジョウロ	4
すごろく	28
せ	7、9、19、21

た

ダイズ	6、7、11、16、17
たね	4、7、11、16、18、19

た（続き）

タブレットたんまつ	5
土（ばいよう土）	4、8、11、20
とげ	25

な

なえ	4、7、8、9、10、11、19、20、21
ねっこ（ね）	7、8、19、20

は

はっぱ	5、7、9、10、11、19、21、22、27
花	5、7、12、13、14、19、22、23、24
ひも	4、20、22
びょうき	27
ひりょう	4、12、27
プランター	4、8、11、20
へた	18、25

ま

み	7、12、18、19、22、24、25、27
虫	11、27
め	4、7、11、16、19、22
めしべ	7、19
モヤシ	16、17

や

ヨトウガのよう虫	27

わ

わきめ	22

監修　河村　亮
（かわむら　りょう）

1976年、広島県生まれ。三和農園代表。
1997年、大分臨床工学技士専門学校卒業後、
臨床工学技士として病院に勤務していたが、
趣味で家庭菜園を始めたことをきっかけに兼
業農家に転身。2014年より、専業農家とし
て静岡県焼津市で三和農園を営む。インター
ネットを通じて野菜を販売しているほか、
YouTube に数多くの農業動画をアップロー
ドし、注目を集めている。

〈指導〉
加藤真奈美（学習院初等科教諭）
長代　大（学習院初等科教諭）

〈企画・編集〉
山岸都芳、佐藤美由紀（小峰書店）
常松心平、飯沼基子（303BOOKS）

〈装丁・本文デザイン〉
倉科明敏（T.デザイン室）

〈イラスト〉
すぎうら　あきら
はやみ　かな（303BOOKS）
TASK

〈撮影〉
土屋貴章（303BOOKS）
中村翔太

〈撮影協力〉
山岸詩織
りん
河村明来

〈写真〉
PIXTA（p.3・6・7・11・13・14・16・17・18・19・
21・27・30）／アフロ（p.9・22）／アマナ（p.14・
22）

そだてる・かんさつ・まとめる

めざせ！やさい名人
❸ エダマメ・ナス

2025年4月6日　第1刷発行

監　　修　河村　亮
発 行 者　小峰広一郎
発 行 所　株式会社 小峰書店
　　　　　〒162-0066 東京都新宿区市谷台町4-15
　　　　　TEL 03-3357-3521　FAX 03-3357-1027
　　　　　https://www.komineshoten.co.jp/
印　　刷　株式会社 精興社
製　　本　株式会社 松岳社

©2025 Komineshoten Printed in Japan
NDC620　31p　29×23cm　ISBN978-4-338-37003-5

乱丁・落丁本はお取り替えいたします。
本書の無断での複写（コピー）、上演、放送等の二次利用、翻案等は、
著作権法上の例外を除き禁じられています。
本書の電子データ化などの無断複製は著作権法上の例外を除き禁じられ
ています。
代行業者等の第三者による本書の電子的複製も認められておりません。

のかんさつカード

年　組　番　名前

月　日（　　）天気

だい

のかんさつカード

年　　組　　番　名前

月　　日（　　）天気

だい